REJOIGNEZ-NOUS

Greta Thunberg

OCT ⎯ 2019

REJOIGNEZ-NOUS

#grevepourleclimat

*Édité et traduit de l'anglais
par Flore Vasseur*

KERO

Greta Thunberg est une jeune activiste suédoise.
Elle a été nommée par le *Time* parmi les jeunes
les plus influents dans le monde.

Flore Vasseur est l'auteure de CE QU'IL RESTE DE NOS RÊVES
et réalisatrice de BIGGER THAN US, un film et une aventure
sur une génération prête à en découdre : celle de Greta !

COUVERTURE
Maquette : olo.éditions
Photograhie couverture : © Pattern image / Shutterstock
Photographie auteure : Anders Hellberg

ISBN 978-2-3665-8405-9

C'est à huit ans que pour la première fois, j'ai entendu parler du changement climatique, ou du réchauffement global. On m'a dit que c'était quelque chose que les humains avaient créé par leur seule façon de vivre. On m'a alors demandé d'éteindre les lumières pour économiser l'énergie et de recycler le papier pour protéger les ressources.

Je me souviens avoir pensé que c'était très étrange que les humains, qui ne sont rien d'autre qu'une espèce animale, soient capables de modifier le climat. Parce que si vraiment c'était le cas, on ne parlerait de rien d'autre. Si vraiment c'était en train d'arriver, dès qu'on allumerait la télévision, on n'entendrait parler que de cela ! Les gros titres, la radio, les journaux... Personne ne pourrait lire ou entendre parler de quoi que ce soit d'autre. Comme si une guerre mondiale avait éclaté. Ou quelque chose comme ça.

Mais personne n'en parlait jamais.

Si brûler de l'énergie fossile était si mauvais que cela pouvait menacer notre propre existence, comment pouvions-nous continuer comme si de rien n'était ? Pourquoi n'y avait-il aucune restriction ? Pourquoi cela n'était-il pas illégal ?

Pour moi, cela n'avait aucun sens. C'était trop irréel.

Quand j'ai eu onze ans, je suis tombée malade, en dépression. J'ai cessé de parler et de m'alimenter. Et en deux mois, j'ai perdu près de dix kilos.

Un peu plus tard, on m'a diagnostiqué un syndrome d'Asperger, un trouble obsessionnel compulsif et un mutisme sélectif. Tout cela veut simplement dire que je parle uniquement quand cela est nécessaire. Comme c'est le cas maintenant.

Pour celles et ceux qui souffrent de la même chose, presque tout est soit blanc soit noir. On ne sait pas mentir et on a peu d'intérêt pour ce jeu social que beaucoup semblent particulièrement apprécier.

Et à bien des niveaux, je pense que nous, les autistes, sommes les « normaux » et que vous, les autres, êtes des gens plutôt étranges. Surtout au sujet de la crise environnementale : tout le monde s'accorde à dire qu'elle est une menace existentielle, le défi le plus important de notre époque, et pourtant personne ne bouge. Tout continue comme si de rien n'était.

Je ne comprends pas cela : car si les émissions carbone doivent s'arrêter, alors nous devons arrêter les émissions carbone. Pour moi, c'est blanc ou noir : il n'y a pas de zone grise quand on parle de survie. Soit on continue d'agir en tant que civilisation. Soit non. Nous devons changer.

Pour éviter un réchauffement de plus de 2 degrés, des pays comme la Suède doivent commencer à réduire leurs émissions de 15 % par an. Comme le Groupe d'experts intergouvernemental sur l'évolution du climat (GIEC) l'a récemment démontré, limiter le réchauffement à 1,5 degré aurait des effets considérables sur le climat. Mais nous sommes incapables d'imaginer ce que cela signifie en termes de réduction des émissions. On pourrait penser que chacun de nos hommes et femmes politiques, de nos médias, ne parlerait que de cela. Mais personne n'en parle jamais.

Tout comme personne ne parle jamais des gaz à effet de serre déjà emprisonnés dans l'atmosphère, ou de la pollution de l'air qui se cache aussi dans le réchauffement. À cause d'eux, même si nous arrêtions tout recours aux énergies fossiles, il y aurait déjà un réchauffement inévitable de l'ordre de 0,5 à 1 degré.

Tout comme personne ne parle jamais du fait que nous sommes en train de vivre la sixième extinction de masse : jusqu'à 200 espèces disparaissent chaque jour ; la vitesse d'extinction est de 1 000 à 10 000 fois supérieure à la normale.

De plus, personne ne parle jamais d'équité ou de justice climatique, des principes pourtant clairement posés au cœur de l'Accord de Paris. Ils sont incontournables si nous voulons que l'accord fonctionne à l'échelle mondiale. Compte tenu des niveaux actuels d'émission, cela implique que les pays développés doivent parvenir à zéro émission dans les six à douze ans pour que les populations des pays les plus pauvres puissent se doter des infrastructures que nous possédons déjà, comme des routes, des hôpitaux, des centrales électriques et des écoles, ou encore l'accès à l'eau potable. Car comment pouvons-nous espérer que des pays comme l'Inde ou le Nigeria s'intéressent aux questions climatiques si nous, qui avons déjà tout, ne sommes pas capables d'y accorder la moindre seconde d'attention ? Ou d'accorder la moindre seconde d'attention à l'Accord de Paris ?

Alors pourquoi ne réduisons-nous pas nos émissions ? Pire encore, pourquoi les laissons-nous augmenter ? Sommes-nous en train d'engendrer une extinction de masse en toute connaissance de cause ? Sommes-nous devenus diaboliques ?

Non, bien sûr que non. Les gens continuent à vivre comme avant parce que, pour la plupart, ils n'ont pas idée des conséquences que cela aura sur leur vie de tous les jours. Ils ne savent pas qu'un changement rapide est absolument vital. Nous pensons tous savoir et nous pensons tous que les autres savent, mais ce n'est pas le cas. Comment le pourrions-nous ? S'il y a vraiment une crise et si cette crise est causée par nos propres émissions, nous devrions voir des conséquences, non ? Pas seulement des villes inondées, des dizaines de milliers de personnes décédées et des nations entières réduites à des piles d'immeubles effondrés. Nous devrions voir des réglementations. Mais non. Peu de personnes parlent de ce sujet. Il n'y a pas de gros titre, de sommet d'urgence, de flash d'info. Personne n'agit comme si nous étions en crise. Même les plus grands scientifiques du climat ou les politiciens dits « verts » continuent de voyager autour du monde en avion, mangent de la viande et consomment des produits laitiers.

Si je vis jusqu'à cent ans, je verrai l'an 2103. Les dirigeants du monde, quand ils pensent au futur, ne voient jamais au-delà de 2050. Cette année-là, dans le meilleur des cas, je ne serai même pas à la moitié de ma vie. Et que va-t-il se passer ensuite ? En 2078, je célébrerai mon soixante-quinzième anniversaire. Si j'ai des enfants, peut-être passeront-ils la journée avec moi. Peut-être me poseront-ils des questions sur vous, les gens de 2019. Peut-être qu'ils me demanderont pourquoi vous n'avez rien fait alors qu'il était encore possible d'agir. Ce que nous faisons ou ne faisons pas maintenant, tout de suite, aujourd'hui, va affecter l'intégralité de ma vie et celle de mes enfants et de mes petits-enfants. Ce que nous faisons ou ne faisons pas maintenant, tout de suite, ne pourra pas être défait par ma génération.

Certains me disent que je ferais mieux d'aller à l'école. Que je ferais mieux d'étudier et de devenir à mon tour une scientifique du climat, pour « résoudre la crise climatique ». Mais la crise climatique a déjà été résolue. Oui, nous avons déjà tous les faits et les solutions. Tout ce dont nous avons besoin, c'est de nous réveiller et de changer.

Et pourquoi au juste est-ce que je devrais étudier pour un avenir qui pourrait bientôt ne plus exister parce que personne ne fait rien pour le sauver ? Quel est l'intérêt de suivre les enseignements du système scolaire quand les plus grands scientifiques issus du même système scolaire ne sont pas écoutés par nos politiques et nos sociétés ?

Beaucoup racontent que la Suède n'est qu'un tout petit pays et que son action importe peu. Mais si une poignée d'enfants peut faire la une des journaux du monde entier en n'allant pas à l'école pendant quelques semaines, imaginez ce que nous pourrions faire tous ensemble si seulement nous en avions envie ?

Et c'est là, en général, que les gens se mettent à évoquer l'espoir, les panneaux solaires, les éoliennes, l'économie circulaire et tout cela. Mais pas moi. Nous avons parlé de toutes ces choses pendant trente ans avec nos beaux discours et nos jolies histoires optimistes de changement. Je suis désolée, mais cela ne marche pas. Car si cela avait marché, les émissions auraient diminué. Et ce n'est pas le cas. Bien sûr, nous avons besoin d'espoir. Bien sûr. Mais nous avons encore plus besoin d'action. Quand on commence à agir, l'espoir est partout. Alors au lieu d'attendre l'espoir, cherchez l'action. Et c'est seulement à ce moment que l'espoir sera là.

Rien qu'aujourd'hui, nous utilisons 100 millions

de barils de pétrole par jour. Il n'y a aucun parti, aucun programme politique pour changer cela. Il n'y a pas de législation pour maintenir ce pétrole dans le sol.

Nous ne pouvons donc pas sauver le monde en respectant les règles. Car les règles ont besoin d'être changées. Tout doit changer et cela doit démarrer aujourd'hui.

Il y a quelque temps, le climatologue Johan Rockström et d'autres scientifiques ont écrit que nous avions au mieux trois ans pour renverser la croissance des émissions de gaz à effet de serre si nous voulions respecter l'Accord de Paris.

Des mois se sont écoulés. Et dans l'intervalle, d'autres scientifiques ont répété la même idée, beaucoup de choses ont empiré et les émissions de gaz à effet de serre ont continué d'augmenter. Il nous reste donc probablement encore moins de mois que Johan Rockström le prétend.

Si les gens savaient cela, ils n'auraient pas besoin de me demander pourquoi je me « passionne pour l'évolution du climat ».

Si les gens savaient que les scientifiques considèrent que nous n'avons que 5 % de chances de respecter l'Accord de Paris, et si les gens savaient dans quel scénario cauchemardesque nous allons plonger si nous ne maintenons pas le réchauffement climatique sous la barre des 2 degrés, ils n'auraient pas besoin de me demander pourquoi je fais la grève de l'école devant le Parlement suédois.

Parce que si tout le monde savait à quel point la situation est grave et à quel point rien n'est fait, alors ils viendraient tous s'asseoir à nos côtés.

En Suède, nous vivons comme si nous avions les ressources de 4,2 planètes. Notre empreinte carbone figure parmi les dix pires au monde. Cela veut dire que, chaque année, la Suède vole les ressources de 3,2 planètes aux générations futures. Ceux d'entre nous qui appartiennent à ces générations futures aimeraient que la Suède arrête cela.

Tout de suite.

Ceci n'est pas un texte politique. Nos grèves pour le climat n'ont rien à voir avec la politique des partis.

Parce que le climat et la biosphère se fichent de nos politiques et de nos mots creux.

Seuls nos actes leur importent.

Ceci est un cri d'alarme.

À tous les journaux qui ne couvrent toujours pas le changement climatique bien que l'été dernier, alors que les forêts de Suède brûlaient, ils titraient que le « climat était le défi de notre époque » ;

À vous tous qui n'avez jamais traité la crise climatique comme une crise ;

À tous les influenceurs qui sont toujours prêts à défendre n'importe quoi sauf le climat ;

À tous les partis politiques qui prétendent prendre la question climatique au sérieux ;

À vous, les politiciens qui nous ridiculisez sur les réseaux sociaux, qui me dénigrez pour que les gens puissent me traiter d'attardée mentale, de pute, de terroriste, et de bien d'autres choses encore ;

À vous tous qui décidez de regarder ailleurs parce que vous êtes plus effrayés par les changements nécessaires pour remédier à la catastrophe climatique que par la catastrophe climatique elle-même :

Il n'y a pas pire que votre silence.

Le futur de toutes les générations à venir repose sur vos épaules.

Celles et ceux d'entre nous qui sont toujours des enfants ne pourront pas changer ce que vous faites aujourd'hui quand ils seront en âge de le faire.

Chaque personne compte.

Tout comme chaque émission compte.

Chaque kilo.

Tout compte.

Alors s'il vous plaît, considérez la crise climatique comme la crise gravissime qu'elle est et donnez-nous un futur.

Nos vies sont entre vos mains.

Notre maison brûle.

Je suis là pour vous le dire : notre maison brûle.

Selon le GIEC, il ne reste que douze ans avant de ne plus pouvoir réparer nos erreurs.

Durant cette période, des changements sans précédent dans tous les pans de la société devront avoir lieu, et notamment une réduction des émissions de CO_2 de 50 %.

Et notez bien que ces chiffres ne prennent pas en compte les aspects d'équité, lesquels sont absolument nécessaires pour faire fonctionner l'Accord de Paris à l'échelle mondiale.

De même qu'ils ne tiennent pas compte des points de bascule et effets rétroactifs comme celui de la fonte du permafrost en Arctique qui libère du méthane à haute dose.

Dans certains endroits du monde, comme à Davos, les gens aiment se raconter des histoires de réussite. Mais leur réussite financière a un prix inimaginable. À propos du changement climatique, nous devons admettre que nous avons échoué sur toute la ligne.

Tous les mouvements politiques dans leur forme actuelle ont échoué.

Tous les médias ont échoué à alerter le grand public.

Mais les Homo sapiens n'ont pas encore échoué. Oui, nous sommes en train d'échouer, mais il est encore temps d'inverser le cours des choses. Nous pouvons encore résoudre le problème. Tout est encore entre nos mains.

Seulement, à moins de reconnaître l'échec généralisé de nos systèmes actuels, nous n'avons aucune chance.

Nous sommes face à un désastre de souffrances inimaginables pour d'immenses parties de la population. Et ce n'est plus le moment de parler poliment ou de réfléchir à ce qui peut être dit ou pas. C'est le moment de parler franchement.

Résoudre la crise climatique est le défi le plus complexe et le plus ambitieux que les Homo sapiens ont eu à affronter. La solution principale est pourtant si simple que même un enfant pourrait la comprendre. Il faut arrêter nos émissions carbone.

À nous de le faire ou pas.

Vous dites que rien dans la vie n'est jamais blanc ou noir.

Mais c'est un mensonge. Un mensonge très dangereux.

Soit nous parvenons à éviter un réchauffement de 1,5 degré. Soit non.

Soit nous parvenons à éviter de déclencher cette

réaction en chaîne irréversible et hors de tout contrôle humain. Soit non.

Soit nous choisissons de rester une civilisation. Soit non.

Nous avons tous le choix. Nous pouvons mener des actions qui garantiront le changement et protégeront les conditions de vie des générations futures.

Ou nous pouvons poursuivre le cours de nos vies comme si de rien n'était. Et échouer.

Cela dépend de vous et moi.

Certains disent que nous ne devrions pas devenir des activistes. Que nous devrions laisser cela à nos politiques et voter pour qu'ils changent. Mais que faire au juste quand il n'y a aucune volonté politique ? Que faire quand les actions politiques dont nous avons besoin n'existent pas ?

À Davos, comme partout ailleurs, les gens ne parlent que d'argent. Comme si l'argent et la croissance étaient leurs uniques préoccupations.

Et puisque la crise du climat est une crise qui n'a jamais été traitée comme telle, les gens ne sont tout simplement pas au courant de ses conséquences sur leur vie de tous les jours.

Ils ne savent pas qu'il existe une chose comme le budget carbone[1] et qu'il n'en reste presque plus rien. Cela doit changer.

Aucun de nos défis actuels n'est plus essentiel que

---

1. Quantité maximale de carbone que nous pouvons émettre d'ici 2050 pour ne pas dépasser un réchauffement de 2 degrés. *(N.d.T.)*

de faire comprendre au plus grand nombre la disparition rapide du budget carbone et l'importance d'en faire notre nouvelle monnaie de référence et le cœur des économies présentes et futures.

Nous sommes à un moment de l'Histoire où toute personne avec une idée sur la crise climatique qui menace notre civilisation et toute la biosphère doit parler.

Avec des mots simples.

Peu importe que cela soit inconfortable ou non rentable.

Nous devons changer à peu près tout dans nos sociétés.

Plus grande est votre empreinte carbone, plus grand est votre devoir moral.

Plus grande est votre audience, plus grande est votre responsabilité.

Les adultes continuent de dire : « C'est notre devoir de donner de l'espoir aux jeunes. »

Mais je ne veux pas de votre espoir.

Je ne veux pas que vous soyez pleins d'espoir.

Je veux que vous paniquiez.

Je veux que chaque jour vous ayez peur comme moi.

Et puis je veux que vous agissiez.

Je veux que vous agissiez comme si vous étiez en crise.

Je veux que vous agissiez comme si notre maison était en feu.

Parce qu'elle l'est.

Chaque vendredi, je m'assois au pied du Parlement suédois et je continuerai jusqu'à ce que la Suède respecte l'Accord de Paris.

Je demande à tout le monde de faire de même, où que vous soyez : asseyez-vous au pied de votre parlement ou devant des bureaux de votre gouvernement, jusqu'à ce que votre nation prenne toutes les mesures pour limiter le réchauffement global à 2 degrés.

Le mois dernier, le secrétaire général de l'ONU a annoncé que nous avions jusqu'à 2020 pour changer notre trajectoire et inverser la courbe des émissions pour respecter l'Accord de Paris. Sinon le monde sera face à une menace existentielle. Vous n'avez pas besoin d'aller loin pour protester contre la crise du climat. Parce que le changement climatique est partout. Il suffit de vous rendre devant n'importe quel immeuble de votre gouvernement où que vous soyez sur Terre. N'importe quel siège de multinationale du pétrole ou de l'énergie. N'importe quels supermarché, rédaction, aéroport, station-service, producteur de viande ou chaîne de télévision dans le monde.

Personne ne fait ce qu'il faudrait.

Tout et chacun doit changer.

D'ailleurs, cela fait vingt-cinq ans que l'on manifeste pendant les conférences sur le climat des Nations unies, demandant aux dirigeants mondiaux d'arrêter les émissions carbone. Mais clairement, cela ne marche pas, et les émissions continuent d'augmenter.

Alors je ne vais rien leur demander.

Au lieu de cela, je vais demander aux médias de commencer à traiter cette crise comme une crise.

Au lieu de cela, je vais demander aux gens du monde entier de réaliser que nos leaders politiques nous ont mis en échec.

Des dizaines de milliers d'enfants ont fait la grève pour le climat dans les rues de Bruxelles ou Paris. Des centaines de milliers font de même partout dans le monde. Nous sommes en grève de l'école parce que nous, nous avons fait nos devoirs.

Les gens nous disent toujours qu'ils sont pleins d'espoir. Qu'ils espèrent que les jeunes sauveront le monde. Mais nous n'allons pas sauver le monde. Il ne reste pas suffisamment de temps pour que nous grandissions et prenions les commandes. Parce qu'en 2020, nous devons avoir inversé la courbe de nos émissions carbone. C'est l'an prochain !

Nous savons que les hommes et femmes politiques ne veulent pas nous parler. Très bien, nous ne voulons pas leur parler non plus. À la place, nous voulons qu'ils parlent aux scientifiques, qu'ils les écoutent enfin. Parce que nous ne faisons que répéter ce qu'ils disent et redisent depuis des décennies. Nous voulons que vous respectiez l'Accord de Paris et les préconisations des rapports du GIEC. Nous n'avons aucun autre manifeste politique ou demande que celle-là : écoutez la science !

Quand la plupart des politiques parlent des grèves de l'école pour le climat, ils parlent d'à peu près tout sauf de la crise du climat. Beaucoup d'entre eux détournent la question et débattent de savoir si nous sommes en train d'encourager l'absentéisme. Ou si nous ne devrions pas plutôt aller à l'école. Ils inventent toutes sortes de conspirations et font de nous des marionnettes incapables de penser par elles-mêmes. Ils font tout ce qu'ils peuvent pour détourner l'attention de la crise du climat et changer de sujet. Ils ne veulent pas en parler parce qu'ils savent très bien qu'ils ne peuvent pas gagner cette bataille. Ils savent très bien qu'ils n'ont pas fait leurs devoirs. Mais nous, nous les avons faits.

Si vous aviez fait vos devoirs, vous comprendriez que nous avons besoin d'un nouveau projet politique. Nous avons besoin d'une économie totalement repensée en fonction de ce qu'il reste de notre budget carbone déjà faible. Mais cela n'est pas suffisant. Oui, nous avons besoin d'une toute nouvelle façon de penser. Le système politique que vous avez créé ne fonctionne que sur le principe de compétition. Vous trichez autant que vous le pouvez puisque le plus important, c'est de gagner. Uniquement pour avoir plus de pouvoir. Nous devons arrêter cela, nous devons arrêter de nous battre les uns contre les autres en permanence. Nous devons coopérer et partager les ressources de la planète de façon équitable. Nous devons commencer à vivre dans les limites de ce que la planète propose, à nous concentrer sur les questions d'équité, et prendre quelques pas de recul au nom de la vie des différentes espèces. Il faut que nous protégions la biosphère. L'air. Les forêts. La terre.

Cela paraît bien naïf. Mais si vous aviez fait vos devoirs, vous sauriez que nous n'avons pas d'autre choix. Nous devons utiliser chaque parcelle de notre être pour stopper le changement climatique. Car si nous n'y parvenons pas, tous nos progrès et accomplissements n'auront servi à rien. Et l'héritage politique de nos dirigeants actuels sera le plus grand échec de toute l'histoire de l'humanité. On se souviendra d'eux comme des pires criminels de tous les temps parce qu'ils auront décidé de ne pas écouter et de ne pas agir. Mais cela pourrait être différent. Il est encore temps.

On nous dit que l'Union européenne entend poser son objectif de réduction des émissions carbone à 45 % en dessous des émissions de 1990, d'ici à 2030. Certains disent que c'est bien, que c'est ambitieux. Mais cet objectif ne suffira toujours pas à maintenir le réchauffement climatique sous la barre des 1,5 degré. Cet objectif ne suffit pas à protéger le futur des enfants d'aujourd'hui. Si l'Union européenne entend sérieusement s'engager à limiter le réchauffement climatique à 2 degrés, elle doit réduire ses émissions carbone de 80 % d'ici à 2030 (et cela inclut le transport aérien et maritime). C'est donc deux fois plus ambitieux que la proposition actuelle.

Les actions requises vont au-delà de tout manifeste ou parti politique.

À nouveau, nos dirigeants ont glissé leur désastre sous le tapis pour que notre génération le nettoie ensuite.

Certains disent que nous nous battons pour notre futur, c'est faux. Nous ne nous battons pas pour notre futur. Nous nous battons pour le futur de tout le monde. Et si vous pensez que nous ferions mieux d'aller à l'école, alors nous suggérons que vous nous remplaciez dans la rue, que vous fassiez la grève vous-même. Ou plutôt, que vous nous rejoigniez pour accélérer les choses.

Et pardonnez-moi, mais dire que tout va très bien se passer tout en continuant à faire comme avant ne nous donne aucun espoir. C'est même l'opposé de l'espoir. Et pourtant c'est exactement ce que vous faites. Vous ne pouvez pas rester sans rien faire à attendre que l'espoir vous tombe dessus. Ou alors vous agissez comme des enfants irresponsables et gâtés. Vous n'avez pas l'air de comprendre que l'espoir est une chose que vous devez aller chercher, que vous devez gagner. Et si vous êtes encore là, à raconter que « nous sommes en train de gâcher notre précieux temps d'apprentissage », alors laissez-moi vous rappeler que nos dirigeants ont gâché des décennies en déni et inaction. Et comme le temps est en train de nous échapper, nous avons décidé d'agir. Nous avons commencé à nettoyer votre désastre. Et nous ne nous arrêterons pas tant que nous n'aurons pas fini.

Depuis quelque temps, je suis l'objet de rumeurs et d'un flot de haine d'une intensité incroyable. Cela ne me surprend aucunement. Je sais que, comme la plupart des gens ne saisissent pas l'ampleur de la crise du climat (ce qui est compréhensible car elle n'a jamais été traitée en tant que telle), une grève de l'école pour le climat leur semble étrange. Alors permettez-moi de clarifier deux ou trois choses me concernant.

En mai 2018, j'ai figuré parmi les gagnants d'un concours d'articles concernant l'environnement organisé par le *Svenska Dagbladet*, un journal suédois. Mon texte a été publié et quelques personnes m'ont écrit, comme Bo Thorén, de Fossil Free Dalsland. Il dirigeait un groupe de travail, surtout avec des jeunes qui voulaient faire quelque chose contre le changement climatique.

À cette occasion, j'ai eu plusieurs rendez-vous téléphoniques avec d'autres activistes. Le but était de dresser une liste d'idées nouvelles susceptibles d'attirer l'attention sur la crise climatique. Bo a émis quelques idées d'actions, de l'organisation de marches jusqu'au projet assez vague de grève de l'école (que les enfants feraient dans la cour de récréation ou en classe). C'était directement inspiré des lycéens de Parkland, qui avaient refusé de retourner à l'école après la tuerie qui y avait eu lieu.

J'ai bien aimé l'idée d'une grève de l'école. Alors je l'ai développée et j'ai essayé de mobiliser quelques jeunes autour de moi. Mais personne n'était vraiment intéressé. Ils pensaient qu'une version suédoise des marches du mouvement Zero Hour aurait plus d'impact. J'ai donc fait la grève de l'école toute seule et j'ai arrêté de discuter avec eux.

Quand j'ai annoncé mon projet à mes parents, ils ne l'ont pas adoré. Ils ne soutenaient pas l'idée d'une grève de l'école et ils m'ont dit que si je me lançais, ce serait toute seule, sans aucune aide de leur part.

Le 20 août 2018, je me suis assise au pied du Parlement suédois. J'ai distribué des tracts avec une longue liste de faits et données au sujet de la crise du climat et des explications sur mon acte. Puis j'ai tout de suite posté sur Twitter et Instagram ce que j'étais en train de faire. Et c'est vite devenu viral. Des journalistes ont alors commencé à venir me voir. Un entrepreneur suédois, plutôt actif dans la mouvance écologiste, Ingmar Rentzhog, fut l'un des premiers à arriver. Il m'a parlé et a pris quelques photos qu'il a postées sur Facebook. C'était la première fois que je le rencontrais ou lui parlais. Je ne l'avais jamais vu auparavant.

Beaucoup de gens aiment répandre des rumeurs affirmant « qu'il y a des gens derrière moi », que je suis « payée » ou « utilisée » pour faire ce que je fais. Mais la seule personne derrière moi, c'est moi-même ! Mes propres parents étaient tout sauf des activistes du climat jusqu'à ce que je les rende conscients de la catastrophe.

Je n'appartiens à aucune organisation. Il m'arrive de soutenir ou de coopérer avec plusieurs ONG qui travaillent pour le climat ou l'environnement. Mais je suis entièrement indépendante et ne représente que moi-même. Je fais cela de façon bénévole, je ne reçois d'argent ou de promesse de gain de personne. Personne, lié à moi ou à ma famille, n'en profite.

Et bien sûr, cela restera comme ça. Je ne connais aucun activiste du climat qui fait cela pour l'argent. Cette idée est totalement absurde.

Aussi, je ne voyage qu'avec la permission de mon école et mes parents paient pour mes billets et hébergements.

Et oui, j'écris mes propres discours. Mais comme je sais qu'ils vont toucher beaucoup de monde, je demande souvent conseil. Il y a quelques scienti-fiques auxquels je demande régulièrement de l'aide sur la manière de m'exprimer sur certaines ques-tions complexes. Je veux que tout ce que je dis soit parfaitement exact afin de ne véhiculer aucune fausse information, ou chose qui pourrait être mal comprise.

Certaines personnes se moquent de moi parce que je suis Asperger. Mais c'est tout sauf une maladie. C'est un cadeau ! Des gens disent que, parce que je suis Asperger, je ne peux pas, par définition, m'être mise dans ce rôle. Mais c'est exactement la raison pour laquelle j'y suis parvenue ! Parce que si j'avais été « normale » et sociable, j'aurais rejoint une organisation ou monté la mienne. Mais comme je ne sais pas me mêler aux autres, j'ai fait cela à la place. J'étais tellement frustrée que rien ne soit entrepris contre la crise climatique que j'ai senti que je devais faire quelque chose, quoi que ce soit. Et parfois, ne RIEN faire, comme s'asseoir à l'extérieur de son parlement, en dit plus long que tout ce que vous pourriez faire. Un murmure peut être plus puissant qu'un cri.

Il y a aussi cette idée que « je parle et j'écris comme un adulte ». À ceux qui pensent cela, je réponds : Ne pensez-vous pas qu'une personne de seize ans puisse parler pour elle-même ? D'autres considèrent que je simplifie trop les choses, quand je dis par exemple que « la crise du climat se réduit à un choix entre blanc ou noir », que « nous devons arrêter les émissions de carbone », ou que « je veux que vous paniquiez ». Mais je dis seulement cela parce que c'est vrai. Oui, la crise du climat est le défi le plus complexe que nous ayons à affronter, et cela va requérir tout de nous pour que nous puissions « l'arrêter ». Et la solution est bien blanche ou noire : nous devons cesser les émissions de gaz à effet de serre.

Et quand je dis que je veux que vous paniquiez, je veux dire que nous devons traiter cette crise comme une urgence absolue. Quand votre maison est en feu, vous ne vous asseyez pas pour parler de combien elle sera belle quand elle sera reconstruite une fois que vous aurez éteint les flammes. Si votre maison brûle, vous courez dehors et vous vous assurez que tout le monde a pu s'échapper pendant que vous appelez les pompiers. Cela demande un certain niveau de panique.

Il y a un autre argument contre lequel je ne peux rien, le fait que « je suis juste une enfant et que nous ne devrions pas écouter les enfants ». Cela peut facilement se résoudre : écoutez la science à la place. Parce que si tout le monde écoutait les scientifiques et les faits auxquels je me réfère tout le temps, personne n'aurait à m'écouter moi ou les centaines de milliers d'enfants en grève de l'école pour le climat, et ce partout dans le monde. Alors nous pourrions tous retourner à l'école. Je suis juste une messagère. Et pourtant, je fais l'objet de tant de haine. Je ne dis rien de nouveau, seulement ce que les scientifiques répètent depuis des années. Et je suis d'accord avec vous, je suis trop jeune pour cela.

Cela ne devrait pas être aux enfants de faire cela. Mais votre attitude ne nous laisse pas le choix et nous pensons qu'il faut que nous continuions.

Merci à vous tous pour votre soutien ! Cela me donne de l'espoir.

Retrouvez les mots de Greta Thunberg dans les discours prononcés lors des rassemblements suivants : Marche pour le climat à Stockholm (8/9/2018) ; à Bruxelles (6/10/2018) ; à Helsinki (20/10/2018) ; au Parliament Square de Londres pour la Déclaration de l'Extinction Rebellion (31/10/2018) ; pour la conférence TedX (novembre 2018) ; à la COP24 des Nations unies (décembre 2018) ; au meeting du Collectif des ONG de jeunes de la COP24 à Katowice en présence du secrétaire général des Nations unies (3/12/2018) ; à Davos (25/1/2019) ; et sur Facebook (2/2/2019).

Photocomposition Nord Compo
Achevé d'imprimer en mars 2019
par la Nouvelle Imprimerie Laballery - 58500 Clamecy
pour le compte des éditions Calmann-Lévy
21, rue du Montparnasse 75006 Paris

N° d'éditeur : 6508320/01
N° d'imprimeur : 903085
Dépôt légal : mai 2019
Imprimé en France.